小鸡搬家

[美]帕姆·泊莱克◎著
[美]梅格·贝尔维索
[美]林·亚当斯◎绘
袁　颖◎译

天津出版传媒集团
新蕾出版社

图书在版编目 (CIP) 数据

小鸡搬家/(美)帕姆·泊莱克(Pam Pollack),
(美)梅格·贝尔维索(Meg Belviso)著;(美)林·亚
当斯(Lynn Adams)绘;袁颖译.-- 天津:新蕾出版
社,2016.9(2024.12 重印)
(数学帮帮忙·互动版)
书名原文:Chickens on the Move
ISBN 978-7-5307-6469-5

Ⅰ.①小… Ⅱ.①帕…②梅…③林…④袁… Ⅲ.
①数学-儿童读物 Ⅳ.①O1-49

中国版本图书馆 CIP 数据核字(2016)第 206919 号

出版发行:天津出版传媒集团
　　　　　新蕾出版社
http://www.newbuds.com.cn
地　　址:天津市和平区西康路 35 号(300051)
出 版 人:马玉秀
电　　话:总编办(022)23332422
　　　　　发行部(022)23332679　23332351
传　　真:(022)23332422
经　　销:全国新华书店
印　　刷:天津新华印务有限公司
开　　本:787mm×1092mm　1/16
印　　张:3
版　　次:2016 年 9 月第 1 版　2024 年 12 月第 21 次印刷
定　　价:12.00 元

无处不在的数学

资深编辑 卢 江

人们常说"兴趣是最好的老师",有了兴趣,学习就会变得轻松愉快。数学对于孩子来说或许有些难,因为比起语文,数学显得枯燥、抽象,不容易理解,孩子往往不那么喜欢。可许多家长都知道,学数学对于孩子的成长和今后的生活有多么重要。不仅数学知识很有用,学习数学过程中获得的数学思想和方法更会影响孩子的一生,因为数学素养是构成人基本素质的一个重要因素。但是,怎样才能让孩子对数学产生兴趣呢?怎样才能激发他们兴致勃勃地去探索数学问题呢?我认为,让孩子读些有趣的书或许是不错的选择。读了这套"数学帮帮忙",我立刻产生了想把它们推荐给教师和家长朋友们的愿望,因为这真是一套会让孩子爱上数学的好书!

这套有趣的图书从美国引进,原出版者是美国资深教育专家。每本书讲述一个孩子们生活中的故事,由故事中出现的问题自然地引入一个数学知识,然后通过运用数学知识解决问题。比如,从帮助外婆整理散落的纽扣引出分类,从为小狗记录藏骨头的地点引出空间方位等等。故事素材全

部来源于孩子们的真实生活，不是童话，不是幻想，而是鲜活的生活实例。正是这些发生在孩子身边的故事，让孩子们懂得，数学无处不在并且非常有用；这些鲜活的实例也使得抽象的概念更易于理解，更容易激发孩子学习数学的兴趣，让他们逐渐爱上数学。这样的教育思想和方法与我国近年来提倡的数学教育理念是十分吻合的！

这是一套适合5~8岁孩子阅读的书，书中的有趣情节和生动的插画可以将抽象的数学问题直观化、形象化，为孩子的思维活动提供具体形象的支持。如果亲子共读的话，家长可以带领孩子推测情节的发展，探讨解决难题的办法，让孩子在愉悦的氛围中学到知识和方法。

值得教师和家长朋友们注意的是，在每本书的后面，出版者还加入了"互动课堂"及"互动练习"，一方面通过一些精心设计的活动让孩子巩固新学到的数学知识，进一步体会知识的含义和实际应用；另一方面帮助家长指导孩子阅读，体会故事中数学之外的道理，逐步提升孩子的阅读理解能力。

我相信孩子读过这套书后一定会明白，原来，数学不是烦恼，不是包袱，数学真能帮大忙！

"汤姆！安！戈登！"邓恩太太喊道，"爷爷来了！他要给你们个惊喜！"

"什么惊喜，妈妈？"安问。

"看！"她的哥哥汤姆说，"小鸡！"
"是宠物吗？"戈登问，"给我们的？"
那些小鸡耷着毛聒噪着。

"当然了。"爷爷说,"我们什么时候想吃新鲜鸡蛋什么时候就有。"

　　"它们住哪儿啊?"戈登问。

　　"我打算给它们垒间鸡舍。"爷爷说,"你们几个给它们做个笼子吧,就像有篱笆墙的院子一样。"

"我们把鸡笼放在哪儿呢？"安问。

"放在爷爷的菜园旁边怎么样？"汤姆说，"或者，放到小土山上面去。"

"我们还是把它放在房舍旁边吧。"安说，"即使我们待在屋里，也可以随时照看小鸡们了。"

"能让它们待在我的房间里吗？"戈登问道。

安和汤姆都笑了。

"当然不行。"汤姆说。

他们把篱笆搬到屋外的一侧。

"我来把它展开。"安说。

"我负责固定立柱。"汤姆说。

"我来跟小鸡们说话。"戈登说。

9尺

3尺 3尺

9尺

8

等一切工作完成了，他们建成了一个狭长的长方形鸡笼，9尺长，3尺宽。

"这是我见过的最苗条的鸡笼。"爷爷说。

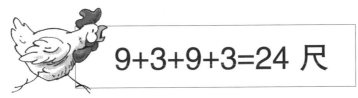

9+3+9+3=24 尺

爷爷把小鸡们放进鸡笼里。小鸡们来回走动，咯咯地叫着，在草地上啄食。

"我还是想让它们待在我的屋里。"戈登说。

"醒醒吧,戈登!"汤姆说,"小鸡不是室内宠物!"

"它们得待在笼子里,"爷爷说,"屋子外头的笼子里。"

"还有,"安说,"你看它们多快活啊!它们喜欢待在外面。"

"咯咯,咯咯,咯咯。"小鸡们叫着。

睡前,戈登从窗户向外张望。

"晚安,小鸡们。"他喊道。

汤姆和安也倚在窗前。"好好睡吧,小鸡们。"安喊道。

“小心别让臭虫咬到哟！”汤姆喊道。

小鸡们没有回答。它们早已进入了梦乡。

"咯咯，咯咯，咯咯"，这是戈登转天早上首先听到的声音。他马上跑出屋去。

爸爸、妈妈早已经在那里了，还有爷爷、汤姆和安。每个人看上去都不高兴。

"我还以为小鸡会是安静的动物呢。"安说。

"我很庆幸没有让它们待在我的屋里。"戈登说。

"也许我们应该把小鸡们挪到爷爷的菜园旁边去。"汤姆说。

"那样它们就不会把我们吵醒了。"安说。

这一次,他们把笼子建得宽了一些。工程花费的时间长得出乎每个人所料。最困难的一步是捉鸡。

汤姆气喘吁吁地说:"也许这些鸡都是赛跑高手。"

戈登心想：我真的很庆幸没让它们待在我屋里啊！那样岂不是到处都是鸡毛呀！

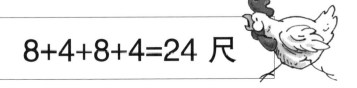

8+4+8+4=24 尺

过了一小会儿，爷爷决定给他的蔬菜浇水了。他浇了西红柿、青豆和西葫芦。他还把水喷到了小鸡们身上。

"天哪！"爷爷叫道。

"我想小鸡们是不喜欢被淋湿的。"戈登说。

"我们最好把笼子从菜园旁边挪走。"安说。

"也许我们应该把小鸡们挪到土山上去。"汤姆说。

"那里离菜园比较远。"安说。

"也远离房舍。"戈登说。

在土山顶上，他们建起了一个边长是 6 尺的正方形鸡笼。

6 尺

6 尺

6 尺

6 尺

　　"现在小鸡们玩耍的地方要宽裕多了。"
安说。

　　"它们不会被水淋湿了。"戈登说。

　　"它们也不会把我们吵醒了。"汤姆说。

　　"也许它们会喜欢这里的。"安说。

 6+6+6+6=24 尺

　　第二天早上,爷爷说:"嘿,孩子们!去鸡笼看看,或许会有惊喜。"爷爷说得没错。那里有三枚鸡蛋。

　　"每人一枚。"汤姆说。

　　"我来取鸡蛋。"戈登说。

　　"小心点儿啊。"安说。

　　戈登尽量小心翼翼,但还是绊了一跤,把鸡蛋跌了出去。鸡蛋骨碌碌地滚了出去。

"捉住它们！"汤姆喊。可是鸡蛋滚得飞快。它们一直滚下了山坡，掉进了池塘里。

　　汤姆把蛋从池塘里面打捞上来。"还好,都没有破。"他说。

　　"有一枚比另外两枚要小。"安说。

　　"这是枚有趣的小蛋。"戈登说。

　　"咱们把这些蛋拿到屋里去吧。"汤姆说。

　　"咱们去喝点儿东西吧。"戈登说,"我渴了。"

“我们最好给小鸡们另外找个地方。”安说，“上山下山的路可不近啊。”

“对我来说，尤其如此！”戈登说。

“我们试了房舍旁边，又试了菜园旁边，还试了土山上面。”汤姆说，“还剩下哪里呢？”

他们到处走来走去。安在苹果树和车库之间停了下来。"我们试试这里吧。"她说。

可是，不论他们怎么尝试，鸡笼在那块地方根本就放不开。

"怎么办呀？"汤姆问。

"鸡笼一定要有四条边吗？"戈登问道。

汤姆和安认真想了想。"不是啊。"他们说道。

"那么我们为什么不可以把它做成三角形呢？"
戈登说。

"我们怎么没想到呢？"安说。

小鸡们在它们的新笼子里逛来逛去。

"它们喜欢这里！"戈登说。

"每只小鸡可以拥有属于自己的一个角落。"
汤姆说。

8 尺 8 尺

8 尺

"简直太棒啦!"安说。

"我饿了。"戈登说。

"不饿才怪呢。"汤姆说,"我们都没有吃早饭。"

"走吧。"安说。

8+8+8=24 尺

"戈登,你想要那枚小个儿的蛋吗?"邓恩太太问道。

"好啊。"戈登一边说一边瞅着那枚袖珍的蛋。突然,蛋开始前后晃动,然后裂开了。

一只小乌龟探出头来。

"妈妈!"戈登喊道,"我能养它吗?"

"养在哪里呢?"邓恩太太问。

"放在我的房间里。"戈登说。

他早就盘算好了。

周长表

图形一周的长度叫作周长。

你可以把图形各条边的长度累加起来得到周长。

戈登说下面每个图形的周长都是 24 尺。
他说得对吗？你怎么知道的？

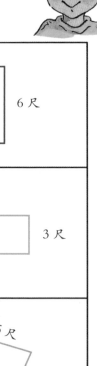

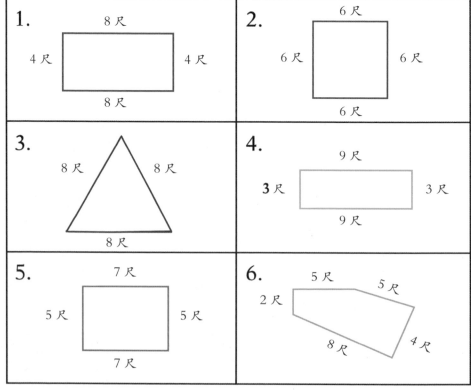

1.

8 尺
4 尺   4 尺
8 尺

2.

6 尺
6 尺   6 尺
6 尺

3.

8 尺   8 尺
8 尺

4.

9 尺
3 尺   3 尺
9 尺

5.

7 尺
5 尺   5 尺
7 尺

6.

5 尺   5 尺
2 尺
8 尺   4 尺

亲爱的家长朋友，请您和孩子一起完成下面这些内容，会有更大的收获哟！

提高阅读能力

• 试着让孩子想象一下，当孩子和小鸡们在一起的时候，会发生什么趣事？"搬家"是什么意思呢？小鸡们为什么要"搬家"呢？

• 读完故事，让孩子说出小主人公放置鸡笼的四个不同地点。问问孩子，为什么鸡笼先后挪了三次地方？

• 让孩子仔细看看故事中放置在不同地点的鸡笼（第 8~9 页、第 16~17 页、第 20~21 页、第 28~29 页）。每次"搬家"中，鸡笼的什么要素是保持不变的？什么是变化的？（提示：从形状、高度、地点及小鸡的数量上考虑。）

巩固数学概念

- 利用第 32 页的图表讨论如下词汇：图形、距离和长度。解释一下开放性图形和封闭性图形的区别（该图表中的所有图形都是封闭性的）。要是鸡笼是开放性的形状会怎么样呢？

- 爷爷买来的简易鸡笼有多长？（答案见第 9 页）看一看第 32 页的图形，问问孩子，哪些图形和故事中的鸡笼形状相仿？

- 让孩子留意，故事中的鸡笼虽然改变了形状，但周长是不变的。鼓励孩子画出与第 32 页中的 6 个图形周长相等的五边形。

生活中的数学

- 给孩子提供 12 个条形物品，比如：长方形木块、蜡笔、牙签等。让孩子用这些物品围成不同的图形，且每次要将 12 个物品全部用到。建议孩子每搭成一种图形都在纸上画下来，以便对所有图形进行记录。

- 启发孩子设计一张房间的地面图纸，房间地面可以是任意形状的。唯一的要求是，这一图形的周长是 48 尺。画好后，让孩子在其中设计家具的摆放位置，看看怎样合理地利用空间。

- 让孩子在纸上画出四个封闭性的多边形，边越多，越具挑战性！将另一张纸垫在这张纸下面，套裁下这些图形。现在，每种图形都有相同的两个了。给孩子出示五个图形——三个是不同的，两个是相同的。孩子会立刻找出相同的图形！（提示：要把图形变换角度，使之看似不是相同的。）之后可与孩子互换角色——让孩子出题考考你！

你能试着画出下面的图形吗?

亲爱的小朋友,上面的图形都有周长吗?请圈出没有周长的图形,并说说为什么。

互动练习2

信息窗

在日常生活中,我们还会用"尺"表示长度。

1 米 = 3 尺

我买来一块长方形的布料做床单。这块布料长 7.5 尺,宽 6 尺。你能换算出这块布料的长和宽各是多少米吗?再算一算这块布料的周长是多少米吧!

7.5 尺

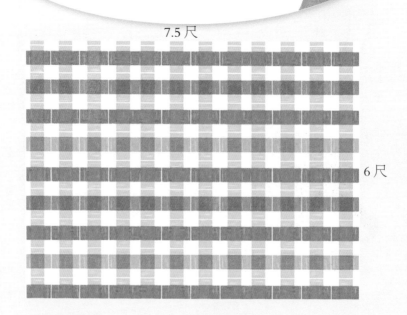

6 尺

常用的长度单位，除了米，还有分米、厘米。

1 米 = 10 分米

1 分米 = 10 厘米

1 米 = 100 厘米

（1）一张课桌的桌面周长大约是 200 厘米，合（　）米。

（2）这本书封面的周长大约是 8 分米，合（　）厘米。

（3）一间教室的地面周长是 32 米，合（　）分米。

（4）盘子的周长大约是 60 厘米，合（　）分米。

求出下面图形的周长

① 6米

3米

② 7米

③ 8米

④ 9米 1.5米

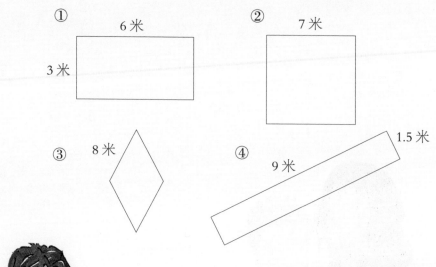

求周长最简单了，把每条边的长度都加起来就行了。

不用那么麻烦，正方形的每条边都是7米,那就是4个7米,不用连加4次,用乘法不就行了？要是让我计算长方形的周长,我就用：(长 + 宽)×2,你说对吗?

你知道吗?

(1)停车场中每个长方形车位长 6 米,宽 3 米,周长是多少米?

100 米

100 米

(2)小狗围着这样的草坪跑一圈,跑了多少米?

(3) 这个徽章是等边三角形的。它的边长是 4 厘米,周长是多少厘米?

39

算 算 看

(1)长方形的长是 20 厘米,长是宽的 4 倍,这个长方形的宽是多少厘米?周长是多少厘米?

(2)一个长方形的游泳池的周长是 140 米,长是 50 米,它的宽是多少米?

(3)把一张长 16 厘米、宽 8 厘米的长方形纸片剪成两个最大的正方形。
①两个正方形的周长和原来长方形的周长相比,是增加了还是减少了?
②每个正方形的周长分别是多少厘米?

周长变变变

(1)一块长方形的菜地长 40 米,宽 15 米,一条长边靠墙。如果另三边围上篱笆,要围多少米长的篱笆？ 如果是短边靠墙呢?

(2)下面两个图形哪一个的周长更长?

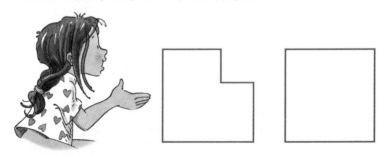

(3)比一比两只小蚂蚁走的路线一样长吗?

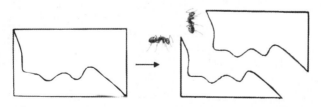

互动练习1:

不是。不封闭的图形没有周长。

互动练习2:

长为2.5米,宽为2米,周长为9米。

互动练习3:

(1)2　(2)80　(3)320　(4)6

互动练习4:

①18米　②28米　③32米

④21米

互动练习5:

(1)18米　(2)400米

(3)12厘米

互动练习6:

(1)5厘米,50厘米

(2)20米

(3)①增加了　②都是32厘米

互动练习7:

(1)70米,95米　(2)一样长

(3)一样长

(习题设计:骆　双)

Chickens on the **Move**

"Tom! Anne! Gordon!"called Mrs. Dunne.

"Grandpa's here! He has a surprise for you!"

"What is it, Mom?"asked Anne.

"Look!"said her brother Tom."Chickens!"

"Are they pets?"asked Gordon."For us?"

The chickens ruffled their feathers and squawked.

"You bet,"Grandpa said."And we'll have fresh eggs whenever we want."

"Where will they live?"asked Gordon.

"I'm going to build them a house,"said Grandpa."You kids can make a coop. That's like a yard with a fence around it."

"Where should we put the coop?"Anne said.

"How about next to Grandpa's vegetable garden?"said Tom."Or up on the hill?"

"Let's put it next to the house,"said Anne."That way we'll be able to see the chickens all the time—even when we're inside."

"Could they stay in my room?"Gordon asked.

Anne and Tom smiled.

"Not really,"Tom said.

They carried the fence around to the side of the house.

"I'll roll it out ,"said Anne.

"I'll work on the posts,"said Tom.

"I'll talk to the chickens,"said Gordon.

When they were finished, they had a long, narrow rectangle. It was 9 feet long and 3 feet wide.

"That's the skinniest chicken coop I've ever seen,"said Grandpa.

Grandpa set the chickens down inside the coop. They wallked back and forth, clucking and pecking at the grass.

"I still wish they could stay in my room," Gordon said.

"Earth to Gordon!"said Tom."Chickens aren't house pets!"

"They have to stay in a coop,"Grandpa said."An outdoor coop."

"Besides,"said Anne,"look how happy they are. They like it out here."

"Buck, buck, buck,"said the chickens.

Before he went to bed, Gordon looked out his window.

"Good night, chickens,"he called.

Tom and Anne leaned out their windows, too."Sleep tight, chickens," called Anne.

"Don't let the bedbugs bite,"called Tom.

The chickens didn't answer. They were already asleep.

Buck, buck, buck was the first thing Gordon heard the next morning. He raced outside.

Mom and Dad were already there. So were Grandpa, Tom, and Anne. Nobody looked happy.

"I thought chickens were quiet,"said Anne.

"Now I'm glad they didn't stay in my room,"said Gordon.

"Maybe we should move the chickens next to Grandpa's garden,"Tom said.

"Then they wouldn't wake us up,"said Anne.

This time they made the chicken coop a little wider. The job took longer than anyone thought it would. The hardest part was catching the chickens!

"Maybe these are racing chickens,"said Tom, panting.

Gordon thought, I'm really glad they aren't staying in my room. There would be feathers all over the place.

A little later Grandpa decided to water his vegetables. He sprayed the tomatoes, the string beans, and the zucchini. He also sprayed the chickens.

"Whoops!"said Grandpa.

"I guess chickens don't like getting wet," Gordon said.

"We'd better move the coop away from the garden,"said Anne.

"Maybe we should put the chickens on the hill,"said Tom.

"That's far from the garden,"said Anne.

"And the house,"said Gordon.

At the top of the hill they made a square coop that was 6 feet on each side.

"Now the chickens have more room to play,"said Anne.

"They won't get splashed,"Gordon said.

"And they won't wake us up."said Tom.

"Maybe they'll like it here,"Anne said.

The next morning Grandpa said, "Hey, kids! Check out the coop. There might be a surprise."He was right. There were three eggs.

"One each,"said Tom.

"I'll carry them,"said Gordon.

"Careful,"said Anne.

Gordon tried to be careful, but he tripped and dropped the eggs. They started rolling away.

"Get them!"shouted Tom. But the eggs were rolling too fast. They rolled down the hill and into the pond.

Tom fished the eggs out of the pond. "Good thing they didn't break," he said.

"One's smaller than the others,"said Anne.

"It's a funny little egg,"Gordon said.

"Let's bring them up to the house,"said Tom.

"And let's get something to drink,"said Gordon."I'm thirsty."

"We'd better find another place for the chickens,"Anne said."It's a long trip up and down the hill."

"Especially if I trip!"said Gordon.

"We tried near the house, we tried next to the garden, and we tried up on the hill,"said Tom."What's left?"

They walked all around. Anne stopped between the apple tree and the garage."Let's try putting it here."she said.

But no matter how they tried, the coop just wouldn't fit.

"Now what?"said Tom.

"Does a coop have to have four sides?"asked Gordon.

Tom and Anne thought hard."No,"they said.

"Then why don't we make it with three sides?"Gordon said.

"Why didn't we think of that?"said Anne.

The chickens explored their new yard.

"They like it!"said Gordon.

"Each one has its own corner,"Tom said.

"It's just perfect,"said Anne.

"I'm hungry now,"Gordon said.

"No wonder,"said Tom."We never had breakfast."

"Let's go,"Anne said.

"Gordon, do you want the small egg?"asked Mrs. Dunne.

"Okay,"Gordon said as he peered at the tiny egg. Suddenly it started to rock back and forth. Then it cracked.

A tiny turtle poked his head out.

"Mom!"Gordon cried."Can I keep him?"

"Where?"asked Mrs. Dunne.

"In my room,"said Gordon. He had it all figured out.